魔法奇花園

文·圖 艾斯伯格 譯 劉清彥

獻給Lisa

魔法奇花園

格林文化
www.grimmpress.com.tw

韓絲特小姐的狗阿飛，已經連續咬了她親愛的表妹尤妮絲六次了。所以，當韓小姐收到尤妮絲的邀請函時，一點都不驚訝自己會讀到這句話：「附註，請把你的狗留在家裡。」

於是韓小姐出門當天，請艾倫來陪伴阿飛，並且在下午帶牠去散步。

韓小姐才剛離開，阿飛就衝進客廳，牠喜歡在椅子上亂咬東西，把抱枕的棉絮全抖出來。可是艾倫早就準備好了。他整個早上都不讓阿飛尖尖的小牙齒有機會碰到任何家具。

阿飛最後終於放棄了，牠累得呼呼大睡，艾倫也趁機小睡一下。不過，他得先把自己的帽子塞進衣服裡，因為帽子是阿飛最喜歡咬的東西。

一小時後，艾倫突然驚醒，因為阿飛咬了他的鼻子一口——這隻沒規矩的狗想去散步了。

艾倫一繫好皮帶，阿飛就急忙拉著他衝出屋子。

他們散步的時候，發現路的另一邊有座白色小橋，艾倫決定帶阿飛過去瞧一瞧。

過了那座橋，走了一小段路，
艾倫停下來讀一個告示牌，上面
寫著：「絕對絕對不准帶狗進花園。」
告示牌的下方署名：「魔法奇，退休
魔術師。」

告示牌後面有一道被藤蔓覆蓋的
牆和一扇開啟的門。艾倫很謹慎的
遵守警告，轉身打算離開。
但就在那時候，阿飛突然用力
一拉，掙脫了項圈，然後穿越
那扇門向前狂奔，艾倫趕緊
追過去。

艾倫大叫：「阿飛，別跑，你這隻調皮的狗！」

可是那隻狗根本不理他。他們跑過被樹蔭覆蓋的小徑，穿越陽光普照的草地，一路跑進花園深處。艾倫終於快要追上阿飛了，但是就在他要伸手抓住阿飛時，卻不小心滑了一跤。阿飛汪汪叫了幾聲，像是在嘲笑他，然後便消失得無影無蹤。

艾倫慢慢爬起來，他知道自己必須在魔法奇先生發現阿飛以前，先找到那隻狗。雖然又累又痛，他還是繼續朝那隻狗的方向快跑。

跑了好長一段路以後，艾倫打算放棄了，他擔心自己再也找不回阿飛。可是就在那時候，他發現了清楚的狗腳印。

他慢慢追蹤小徑上的足跡，走進一座樹林。泥土小徑的盡頭連接著一條紅磚步道，腳印到這裡就消失了。不過艾倫相信，阿飛一定就在前面。

艾倫開始快跑，他看見前方有塊空地。但是等他衝出樹林後，又馬上停下來，彷彿自己差點兒就要撞上牆壁。

他看見一幅令人震驚的景象，那是魔法奇的房子。

艾倫提心吊膽的爬上大階梯，他相信阿飛一定是跑來這裡，而且被抓起來了。

艾倫走到大門前，一顆心撲通撲通跳得好厲害。他深呼吸了一口氣，準備按門鈴，可是他的手還沒有碰到門鈴，門就開了。

玄關上有個人影，是魔法奇大師。「歡迎，請進。」他這麼說。

艾倫跟著魔法奇走進一個大房間。魔術師一轉身，艾倫便馬上為阿飛闖進花園的事道歉。

艾倫很有禮貌的問魔法奇先生，他能不能把阿飛帶回去？

魔法奇很仔細的聽，然後笑著說：「你當然可以把你的小阿飛帶回去，跟我來吧。」

說完，他便走向大門，帶領艾倫來到屋外。

他們走過一片草地，魔法奇突然在一群鴨子前面停下腳步，用抱怨的語氣大聲說：「我最討厭狗，牠們扒出我的花、啃壞我的樹，你知道我發現狗時會怎麼做嗎？」

「怎麼做？」艾倫小聲問，他幾乎不敢聽魔法奇的回答。

「我會把牠們變成鴨子！」魔法奇大聲咆哮。

艾倫好害怕。有一隻鴨子向他走過來，魔法奇說：「那就是你的阿飛。」

艾倫懇求魔法奇把阿飛變回來。

「不可能，」魔法奇回答，「時間到了牠就會變回去，可能要等好幾年，也可能只要一天。現在，帶著你的寶貝鴨子離開吧，別再來了。」

艾倫把鴨子抱在懷裡，鴨子卻想咬他。

「好傢伙，」艾倫難過的拍拍鴨子的頭說，「你還是老樣子。」

他眼中含著淚水，一路走回家，還聽見魔法奇在他身後哈哈大笑。

快走到階梯時，突然颳來一陣風，吹走艾倫的帽子。艾倫邊跑邊伸出一隻手去抓帽子，卻因為這樣沒有辦法抱緊阿飛。結果，那隻鴨子就拍拍翅膀飛了起來，並且一口咬走艾倫的帽子。鴨子沒有落地，反而越飛越高，越飛越高，然後消失在傍晚的雲裡。

艾倫呆呆站著，望著空蕩蕩的天空。

「再見了，我的老朋友，」他難過的叫喊。他相信阿飛再也不會出現，但至少牠還有東西可以咬。

艾倫一步步慢慢走回花園的大門，穿過那座橋，等他回到韓小姐家的時候，太陽已經下山了。

屋裡的燈亮著，他知道韓小姐回來了。他懷著沉重的心情走向大門，不知道韓小姐聽到阿飛不見的消息，會有什麼反應。

韓小姐一開門，艾倫就忍不住把
這趟令人難以相信的遭遇告訴她，
他忍不住哭了。

可是就在這時候，有隻狗從廚房
跑出來，鼻子還沾著食物，
是阿飛！艾倫不敢相信自己所
看見的事。

「我想，魔法奇先生只是跟你
玩了個小把戲。」韓小姐忍住不
笑出來。「我回家的時候，阿飛就在
前院，牠應該是在你和魔法奇先生
說話的時候，就自己回來了。
艾倫，你看，根本沒有人可以
把狗變成鴨子；那位老魔術師只是
讓你誤以為，那隻鴨子就是阿飛。」

艾倫覺得自己好笨，他下定決心再也不要被人愚弄了，而且他也已經過了還可以相信魔術的年紀。

韓小姐站在門廊上，看著艾倫向她揮手道別，一路走回家，然後叫喚正在院子裡跑來跑去的阿飛。阿飛嘴裡咬著東西快步跑上階梯，牠把東西放在韓小姐腳邊。

「嘿，你這隻調皮的狗，」韓小姐說，「你咬艾倫的帽子做什麼啊？」

格林想像飛翔繪本

魔法奇花園

文・圖／艾斯伯格
譯／劉清彥

總編輯／郝廣才
責任編輯／林煜幃
美術編輯／李燕玉

出版發行／格林文化事業股份有限公司
地址／台北市新生南路二段2號3樓
電話／(02)2351-7251　傳真／(02)2351-7244
網址／www.grimmpress.com.tw

讀者服務中心／書虫俱樂部
讀者服務專線／(02)2500-7718～9
24小時傳真服務／(02)2500-1990～1
郵撥帳號／19863813 書虫股份有限公司
網址／www.readingclub.com.tw
讀者服務信箱E-mail／service@readingclub.com.tw

香港發行所／城邦（香港）出版集團
地址／香港灣仔駱克道193號東超商業中心1樓
電話／852-25086231　傳真／852-25789337
E-Mail／hkcite@biznetvigator.com
馬新發行所／城邦（馬新）出版集團 Cite (M) Sdn. Bhd. (458372 U)
地址／11, Jalan 30D/146, Desa Tasik, Sungai Besi, 57000 Kuala Lumpur, Malaysia
電話／603-90563833　傳真／603-90562833

ISBN／978-986-189-075-3
2008年5月初版一刷　2009年11月2刷
定價／250元

城邦讀書花園
www.cite.com.tw